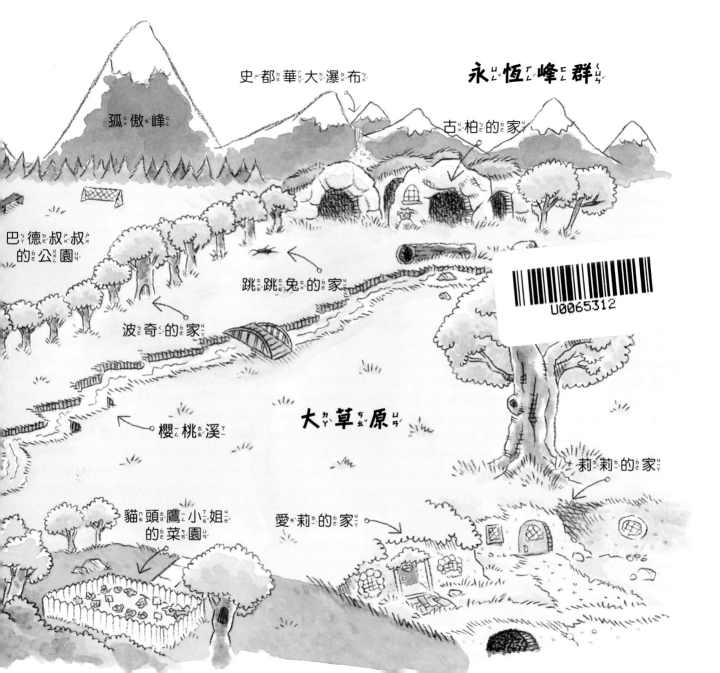

知識繪本館

幸福孩子的7個好習慣❸要事第一

我家什麼都有

文｜西恩‧柯維 Sean Covey
圖｜史戴西‧柯提斯 Stacy Curtis　　譯｜黃筱茵

責任編輯｜詹嬿馨　美術設計｜陳宛昀　行銷企劃｜王予農

天下雜誌群創辦人｜殷允芃　董事長兼執行長｜何琦瑜
媒體暨產品事業群
總經理｜游玉雪　副總經理｜林彥傑　總編輯｜林欣靜
行銷總監｜林育菁　主　編｜楊琇珊　版權主任｜何晨瑋、黃微真

出版者｜親子天下股份有限公司　地址｜台北市104建國北路一段96號4樓
電話｜（02）2509-2800　傳真｜（02）2509-2462　網址｜www.parenting.com.tw
讀者服務專線｜（02）2662-0332　週一～週五 09:00-17:30
讀者服務傳真｜（02）2662-6048
客服信箱｜parenting@cw.com.tw
法律顧問｜台英國際商務法律事務所‧羅明通律師
製版印刷｜中原造像股份有限公司
總經銷｜大和圖書有限公司　電話｜（02）8990-2588

出版日期｜2023年4月第一版第一次印行
　　　　　2024年3月第一版第三次印行
定價｜280元
書號｜BKKKC232P
ISBN｜978-626-305-440-0（精裝）

訂購服務
親子天下Shopping｜shopping.parenting.com.tw
海外‧大量訂購｜parenting@cw.com.tw
書香花園｜台北市建國北路二段6巷11號　電話｜（02）2506-1635
劃撥帳號｜50331356 親子天下股份有限公司

國家圖書館出版品預行編目資料

幸福孩子的7個好習慣.3,要事第一:我家
什麼都有 / 西恩.柯維(Sean Covey)文 ;
史戴西.柯提斯(Stacy Curtis)圖; 黃筱茵
譯. -- 第一版. -- 臺北市 : 親子天下股份
有限公司, 2023.04
32面 ; 20.3×17.8公分. -- (知識繪本館)
國語注音
譯自 : The 7 habits of happy kids : a
place for everything.
ISBN 978-626-305-440-0(精裝)

1.CST: 育兒 2.CST: 繪本

428.8　　　　　　112001732

文／西恩・柯維（Sean Covey）

富蘭克林柯維公司的執行副總，專責教育部門。

史蒂芬・柯維之子，哈佛大學企管碩士。致力於將領導力原則及技能帶給全球的學生、教育工作者、學校，以期帶動全球的教育變革。

他是《紐約時報》的暢銷書作者，著作包括：《與未來有約》、《與成功有約兒童繪本版》，以及被譯成二十種語言、全球銷售逾四百萬冊的《7個習慣決定未來》。

圖／史戴西・柯提斯（Stacy Curtis）

美國漫畫家，插圖畫家和印刷師，同時也是理查德・湯普森（Richard Thompson）連環畫《薩克》的著墨人。柯提斯（Curtis）和他的雙胞胎兄弟在肯塔基州的鮑靈格林（Bowling Green）長大，年輕的史戴西（Stacy）夢想著在這裡創作連環漫畫。

譯／黃筱茵

國立臺灣大學外文系兼任講師。國立臺灣師範大學英語研究所博士班〈文學組〉學分修畢。曾任編輯，翻譯過繪本與青少年小說等超過三百冊，擔任過文化部中小學生優良課外讀物評審、九歌少兒文學獎評審、國家電影視聽中心繪本案審查委員等。近年來同時也撰寫專欄、擔任講師，推廣繪本文學與青少年小說。從故事中試著了解生命裡的歡喜悲傷，認識可以一起喝故事茶的好朋友。

獻給我的兒子們麥可西恩、奈森、偉斯頓，還有瓦特
希望你們永遠都懂得欣賞好鞋子！
——西恩・柯維 Sean Covey

獻給我的媽媽
謝謝您教我收東西
——史戴西・柯提斯 Stacy Curtis

幸福孩子的7個好習慣 ③ 要事第一
我家什麼都有

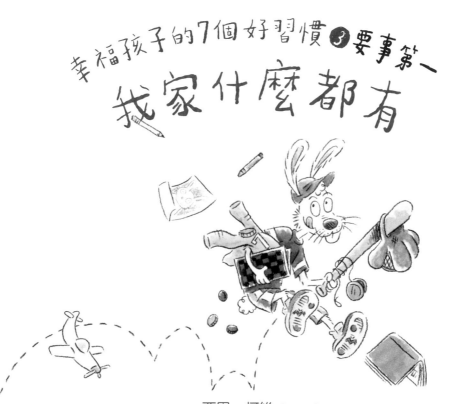

文 / 西恩‧柯維 Sean Covey

圖 / 史戴西‧柯提斯 Stacy Curtis

譯 / 黃筱茵

7橡鎮的朋友們

豪豬波奇

跳跳兔

松鼠蘇菲

小熊古柏

臭鼬莉莉

松鼠山米

老鼠愛莉

有一天，跳跳兔蹦蹦跳跳的經過巴德叔叔公園。
豪豬波奇、臭鼬臭臭，還有老鼠愛莉，
正在和三隻獾一起玩三對三鬥牛籃球賽。

「你想加入嗎？」他們問。
「那當然啦！」跳跳兔說。

「可是你不能『環』耶！跳跳你沒穿『丘』鞋，穿涼鞋不適合喔！」老鼠愛莉說。

「沒問題，我現在馬上回家拿我最愛的籃球鞋。」跳跳兔說。

可是跳跳兔家實在是太亂了，他東翻西找的， 就是找不到他的籃球鞋。

籃球鞋不在他的櫃子裡，

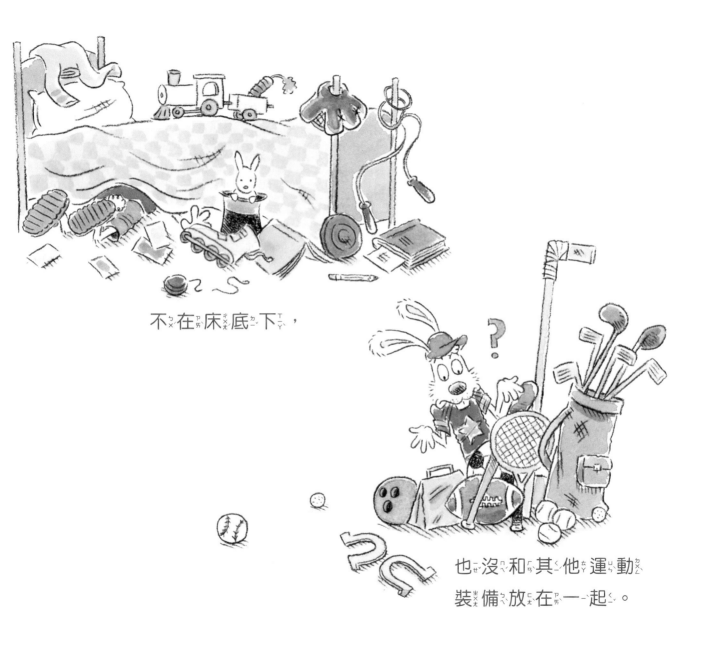

不ㄅㄨˋ在ㄗㄞˋ床ㄔㄨㄤˊ底ㄉㄧˇ下ㄒㄧㄚˋ，

也ㄧㄝˇ沒ㄇㄟˊ和ㄏㄜˊ其ㄑㄧˊ他ㄊㄚ運ㄩㄣˋ動ㄉㄨㄥˋ
裝ㄓㄨㄤ備ㄅㄟˋ放ㄈㄤˋ在ㄗㄞˋ一ㄧ起ㄑㄧˇ。

跳ㄊㄧㄠˋ跳ㄊㄧㄠˋ兔ㄊㄨˋ開ㄎㄞ始ㄕˇ把ㄅㄚˇ東ㄉㄨㄥ西ㄒㄧ往ㄨㄤˇ洞ㄉㄨㄥˋ穴ㄒㄩㄝˋ外ㄨㄞˋ扔ㄖㄥ。

「哎呀！」小熊古柏大喊。

「跳跳，你在做什麼呀？你遇到什麼麻煩了嗎？」

「我找不到我最愛的籃球鞋，
可是我現在就需要它！」

「會不會是你去莉莉家時忘在那了？」小熊古柏說。
於是他們衝過櫻桃溪，跑到臭鼬莉莉的地洞。
但是籃球鞋不在那裡。

他‍們‍到‍山‍米‍和‍蘇‍菲‍
的‍樹‍屋‍去‍找‍，

也‍到‍老‍鼠‍愛‍莉‍的‍沙‍坑‍去‍找‍，

還到豪豬波奇家去找，

甚至連小熊古柏的洞穴裡也找過了，
就是沒看到籃球鞋的蹤影。

「我這輩子都沒辦法再打籃球了！」
跳跳兔難過得大哭起來。

「冷靜點，籃球鞋一定在你家，我陪你回去找吧。」小熊古柏說。

他們一起回到跳跳兔家，小熊古柏說：「你家看起來就像剛被颱風掃過一樣，難怪你找不到籃球鞋！我爸爸常說：『每個東西都有自己的家，每個東西都要物歸原處。』」

「那是什麼意思呀？」跳跳兔問。

「意思是說：我們要條理分明的收納好自己的物品，這樣才找得到，否則就會浪費很多時間在尋找。」

「喔，你可以教我嗎……就是你剛才說的那個什麼詞啊？」跳跳兔說。

於是小熊古柏和跳跳兔花了好幾個小時一起把家裡收拾整潔， 最後， 他們在一大堆臭烘烘的髒衣服下面找到跳跳兔的籃球鞋了！

除此之外， 還找到很多跳跳兔遺失很久的東西， 像是遙控直升機， 以及爺爺送他的珍貴銀幣。

等他們再回到巴德叔叔的公園時，
籃球比賽早就結束了。
「真是太可惜了！」跳跳兔說。

「跳跳別擔心，下次比賽你就可以參加啦。」小
熊古柏安慰著跳跳兔。

「我們不要讓這件事毀了今天。我們去找瓢蟲
如何？咦，你有沒有看到我的放大鏡呀？」

親子共讀小叮嚀

第 3 個好習慣：要事第一——先工作，後玩樂

　　我兒子偉斯頓是弄丟鞋子的大王，每次我們要趕赴某場重要約會，而且已經遲到時，就會找不到他的鞋子。有時候我們會在彈跳床邊找到他的鞋子（已經被灑水器灑得溼透），或是在汽車後座（鞋子裡塞滿前一天晚上的薯條）發現。更常發生的狀況，是鞋子從此就消失了。由此可見，如果能條理分明一點，我們可能可以省下許多時間和金錢，也不必經歷那麼多挫折感。

　　你是否曾經打包過行李箱？你會發現如果你能摺好衣服、收拾妥當，比起胡亂往行李箱裡亂扔衣服，能多收納更多衣物？這真的很令人驚訝。生命其實也一樣，我們越條理分明，越能妥善打包更多的人事物——你將擁有更多時間，足以好好和家人朋友相處，更多可以好好工作、好好放鬆的時間，也將騰出更多時間，分配給我們生命中的「優先」事物。

　　第三個好習慣——要事第一，就是這個意思。我們應該先工作，後玩樂，讓我們的生命條理分明。學習基本的組織技巧對任何年齡的人都是件好事，對孩子們尤其如此。那就是為什麼我們應該教導孩子們任何事情都有適當的時間，工作時間、遊戲時間、睡覺時間。所有的物品也都應該有各自的位置，鞋子有鞋子的家、作業和玩具也有自己的家。

　　讀這個故事時，記得告訴你的孩子跳跳兔因為房間太亂、找不到鞋子，沒辦法跟朋友們一起玩，感覺有多糟。反之，等他的房間整理好，變得乾乾淨淨，他感覺多開心呀！

一起來討論

1. 跳跳兔為什麼沒辦法和朋友們一起打籃球？
2. 跳跳兔回家去找他最愛的籃球鞋時，發生了什麼事？
3. 關於找東西，小熊古柏教了跳跳兔重要的一課，那是什麼呢？
4. 等跳跳兔清理完房間，找到籃球鞋，他感覺如何？他還找到哪些之前丟掉的東西呢？
5. 為什麼條理分明、讓所有東西都有固定的位置很重要呢？

你可以這樣做！

1. 你有沒有什麼很重要，卻經常弄丟的東西呢？例如你最愛的玩具、故事書，或是文具盒？如果有，現在就幫這件特別的東西找個固定的地方存放吧。
2. 好好整理你房間，再叫爸爸媽媽來參觀，相信他們一定會很開心呀！
3. 你有找一個地方放你的作業嗎？如果有，好好保持下去。如果沒有的話，請爸爸媽媽幫你找個地方存放所有的作業吧。
4. 我們已經明白鞋子有多麼重要了，所以記得確保你的鞋子每晚都有好好收起來唷。
5. 跟爸爸媽媽談談，聊一聊他們是如何照顧自己重要的東西。